像心理学家一样思考

心理学真的是研究"心"的吗

董光恒◎著　人形鲤鱼◎绘

北京科学技术出版社
100 层 童 书 馆

小探险家：

　　你好呀！

　　或许你是出于好奇打开这本书的，那么，恭喜你，你在无意间开启了一段理解自我、探索心灵的神奇旅程。

　　在这场旅程中，你会进入心理学的领地，探索神秘的心理世界。你将沿着心理学的发展轨迹，和心理学大师们一起去寻找心理的真相，了解当今心理学界的重要理论，展望心理学未来的发展。

　　你将探究心理学家们争论过的有趣问题。比如，能否通过头骨的形状判断一个人是好人还是坏人？心理学和玩拼图是否具有相似性？人的恐惧是如何形成的？能否通过分析梦境发现心灵深处的秘密？如何变得更幸福？未来机器是否会代替人类思考？……在这一过程中，你可能会发现，一些心理学家的观点看起来不太合理。这时，请你大胆思考，勇敢地提出质疑，不要担心结论的对错。因为，你会发现新的心理学思想就是在批判或否定前人思想的基础上发展起来的。

　　你也将学到很多科学、实用的心理学知识，破除关于心理

学的迷思。比如，擅长使用右脑的人就更有创造力吗？记忆新知识有什么诀窍？不同年龄段小朋友的心理特点是怎样的？负面情绪对我们而言有什么意义？……掌握了这些心理学知识，你将会更好地理解自己和他人的心理，在充满喜怒哀乐的人生中，勇敢向前。

心理学是一门严谨的学科，为了研究复杂抽象的心理，心理学家们可想了不少办法。在这趟旅程中，你将了解他们是怎样研究下面这些棘手的问题的——大脑是作为一个整体发挥作用，还是各个部分分别发挥作用？一个人的智力多大程度上来自父母的遗传、多大程度上受到环境的影响？一个人做出决策的过程如何受到社会的影响？……通过学习心理学的研究方法，你将逐渐学会从心理学家的视角观察世界，从日常生活中自己总结心理活动的规律，培养独立思考和实验探究的能力。

还等什么？我们一起出发吧！

期待与你同行的赛克和迈德

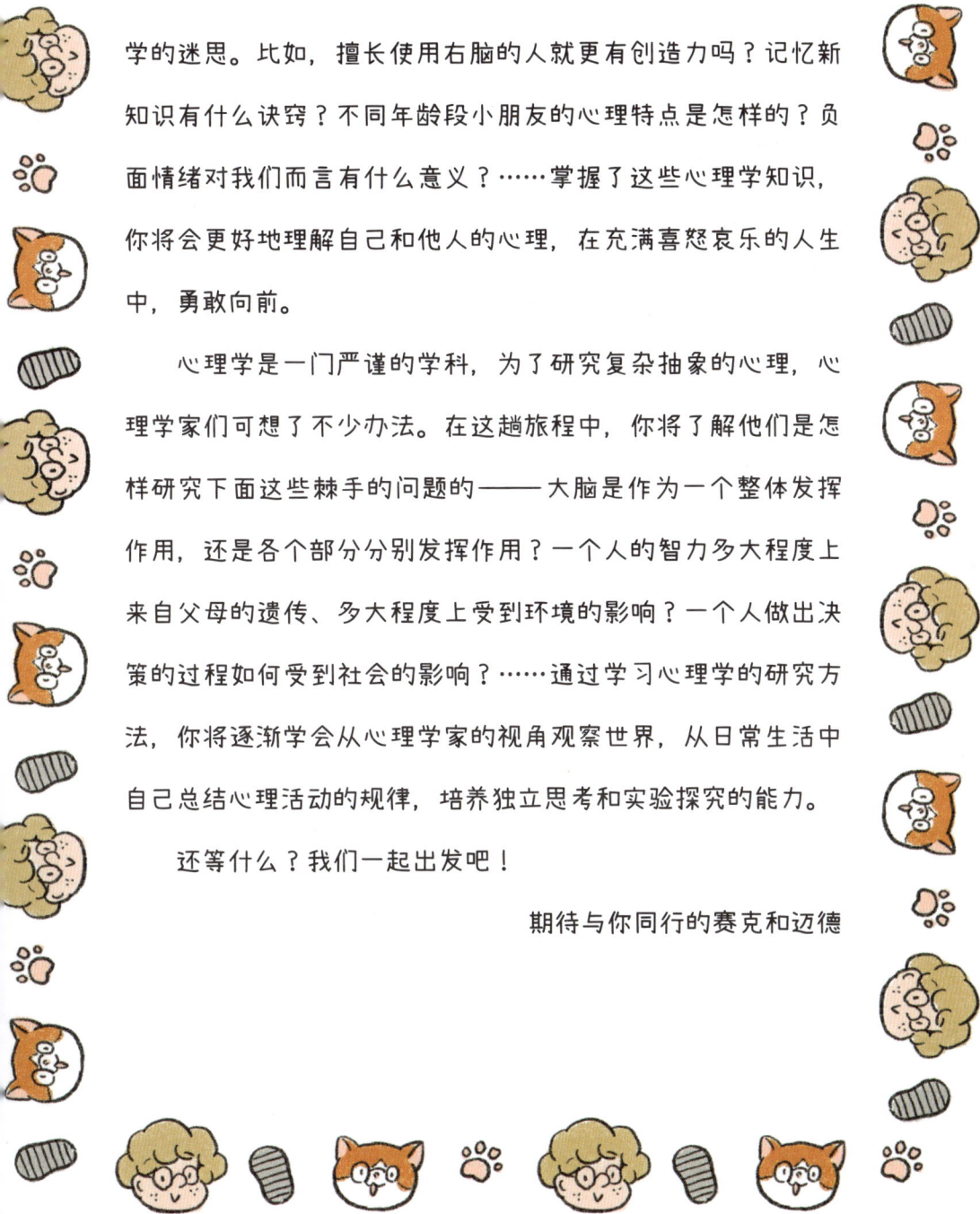

目 录

嗷

你好呀，我是迈德！

性别：男
年龄：8 岁
爸爸的职业：
园艺师
妈妈的职业：
野外动植物
摄影师

我生活在一个充满户外探索氛围的家庭里，但我是一个很善于"内观"的人，我喜欢思考其他人在想什么，并通过阅读学习心理学知识。我有无数的问题想问赛克。

喜欢的食物：巧克力、牛奶
擅长的事情：打羽毛球、看书、思考、涂鸦
讨厌的事情：做数学题

很小的时候，我便认识了赛克，我是被赛克选中的人类"小跟班"。受家族遗传的影响，从小我就有些近视，于是赛克送了我一副红色圆框眼镜，我们组成了"红色眼镜小分队"。

你好呀，我是赛克！

我有很多同类朋友，它们是地球上的土猫。和我不一样的是，它们依然用四只脚走路，而我已经是一只有智慧的、能直立行走的猫了。

性别：保密

年龄：保密，因为我有9条命

学历：喵星人大学博士，以人类心理学研究方向第一名的成绩毕业，被派到地球进修并帮助人类小孩，一直在人类世界游历

喜欢的颜色：红色（红色物品收集癖，尤其是红色的眼镜）

喜欢的食物：生鱼

擅长的事情：钓鱼、捉老鼠、制作标本、研究心理学、收集二手书

讨厌的事情：被摸尾巴

我有一个人类好朋友，他叫迈德，是一个8岁的小男孩。他的脑袋里总是有许许多多问号，他想要学习更多的知识，喜欢探索未知的世界，我将他收为我的"小跟班"，和他一起在地球上学习。

为什么我们总爱问
"为什么"？

　　从古猿人仰望星空、发出第一声带着疑问的号叫开始，人类逐渐演化出超越其他物种的强大"工具"——聪明的大脑。这个工具没有赋予人类猎豹的速度、熊的力量或狗的嗅觉，但它却让人类拥有了"心理"。借助"心理"，人类可以思考和解释这个世界，不断获取和积累知识；人类还能创造符号和文字、创作神话、建立国家，通过想象与协作构建起世界的秩序。

当你还是小宝宝的时候，你偎依在爸爸妈妈的怀抱，仰视着他们。爸爸妈妈高大魁梧，像两座小山似的环绕着你、保护着你；他们"神通广大"，这个世界上的事情好像没有他们办不到的；他们是魔术师，能变出各种好吃的东西来填饱你的肚子……爸爸妈妈就是你的整个世界。

不过，慢慢地，你长大了，个子越来越高，思考能力越来越强。你的个子跟爸爸妈妈的差不多，你以前必须抬起头才能看看他们的眼睛，现在可以平视他们了。你还发现，爸爸经常忘带钥匙，接你放学也总是迟到；妈妈在厨房忙半天，做出来的饭菜有时却难以下咽，有的时候她还会把水壶烧干……爸爸妈妈会犯错误，他们也有很多做不到的事，不过是平凡、普通的人。如果你开始这样思考，那么恭喜你，你已经开始有自己的想法和主张了。

人类的发展和个人的发展一样，都会经历从"懵懵懂懂看世界"

到"主动认识世界"的过程。人类刚诞生时，就像刚出生的婴儿，用充满好奇的眼光打量这个光怪陆离的世界，觉得样样新鲜、处处眼花缭乱。而当人类逐渐发展出独特的智慧时，他们就不再仅仅满足于被动地接受和适应外界的变化，而是开始主动地思考，探索世界，感知自我。

打雷下雨是怎么回事？

为什么有的事我一下就记住了，有的事怎么都记不住？

为什么有的人让我感到愉快，有的人却让我伤心，甚至愤怒？

为什么爸爸妈妈每天都赶着上班，爷爷奶奶却总是待在家里？

……

这些都是心理活动，是由大脑内"脑细胞"的复杂活动产生的。我们大脑中有约千亿个脑细胞，每个脑细胞都像一棵有着几百根枝条的大树，大树与大树之间的枝条又相互连接，构成了一张无比复杂的大网。大脑工作的时候，这些"枝条"相互联系、协同活动，进行信息交换、传递、整合，完成各种心理活动，比如识别物体、计算、记住事情、解决问题等。

心理与心理学

心理活动通常分为认知、情感和意志三个方面。比如，你看到面前的桌子上放着一根香蕉时，可能会产生多种不同的心理活动：你的认知可能是"这是一根香蕉"，情感可能是"我喜欢吃香蕉"，而意志可能是"我要去拿一根香蕉吃"。

心理学就是研究人的心理活动规律的科学，更科学的表达是：心理学是研究人的心智和行为规律的科学。

心理活动往往不是与生俱来的，而是我们在和外界互动时学习到的。如果我们把食物塞进婴儿的嘴里，婴儿就会把食物咽下去，这叫作吞咽反应。就像人的呼吸、消化、心跳一样，吞咽反应是婴儿维持生命的基本技能，它不需要思考、也不需要学习，是与生俱来的。但这不是我们通常说的心理活动，而是本能。如果你把手指塞进婴儿的嘴里，同样会感到婴儿在咬你的手指、吮吸你的手指，因为手指也会引起婴儿的吞咽反应。但是，如果我们不断训练婴儿吸"奶嘴"与"手指"，每一次尝试都会使婴儿产生开心或不开心的体验。如果吸到的是奶嘴，喝到了奶，他会很高兴；如果吸到的是手指，手指根本不好吃，婴儿就会很不开心。随着尝试次数的增多，婴儿逐渐能够区分哪些"食物"美味可口，哪些"食物"根本不好吃。在这个过程中，婴儿根据自己的体验，借助"好吃"或"不好吃"的反馈，不断学习，形成自己的判断，这才是真正的心理活动。

通过"心理"，人类认识了各种事物、了解了各类现象，并赋予了它们意义。比如，月食本来只是一种天文现象，但经过人类"心理"的加工，它被赋予了某些特定的意义。在中国古代，人们认为月食的过程是天狗在吃月亮；印加人认为，发生月食是因为一只美洲豹攻击并吃掉了月亮；古代美索不达米亚人认为，月食是由于七个恶魔共同攻击月亮……这些对自然现象的解释都是人类心理活动的结果。

心理活动不仅是人类思考世界的过程，也是人类探索自我的过程。几千年来，人类不断追问：什么是"我"？心灵和肉体到底有什么关系？是什么让一个人如此与众不同？这些问题和人类的生存并没有什么必然的关系，却是心理学研究的核心。

正是人类的"心理"赋予了自然万物非同寻常的意义，也赋予了人类自己和整个人类社会意义。雨过天晴，天边现出一道彩虹，人们看到它，认为它是和谐美好的象征，这就是人们赋予了彩虹美好的意义。

神经元

大脑是负责产生心理活动的器官。大脑中有许多被称为"神经元"的细胞，神经元通过放电等生理现象实现信号传递，产生"神经活动"。基础的神经活动包括接受来自感觉器官的信息，以产生触觉、视觉、听觉、味觉等；还包括传递信息来激活肌肉组织，从而做出某个动作。神经元相互协作，产生了大量更复杂的神经活动，形成了我们的心理。

在我们的大脑中，到底有多少神经元呢？我们先来看看其他动物的大脑中有多少神经元：果蝇有约 10 万个，蟑螂有约 100 万个，老鼠有约 7500 万个，狒狒有约 140 亿个……而人类有约 860 亿个。由此可见，大脑中神经元的数量是动物"聪明"程度的重要指标。

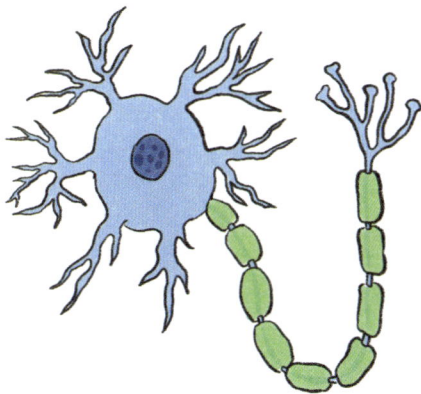

心理学家都会"读心术"吗？

迈德：心理学家是不是看你一眼就知道你在想什么？他们是不是都会"读心术"？

赛克：其实，"读心术"和心理学家的研究没什么关系。

心理学研究的目的可以分为四个层次。

第一层次是描述发生的事情，也就是准确地观察行为、尽量客观地描述行为。例如，人类激动的时候会心跳加速。心理学研究的往往是普遍的行为而非个人独特的行为。

第二层次是解释发生的事情，也就是尝试解释现象背后涉及的心理活动的规律，探究行为是如何产生的。为什么我们会心跳加速？它有什么意义？在人类进化过程中，当我们遇到危险或挑战的时候会激动，引起心跳加速。心跳加速可以给四肢肌肉输送更多的氧气，以便应对危险或者逃跑。

第三层次是预测将要发生的事情，指的是根据对特定行为原因的解释，预测未来这一行为发生的可能性。这一层次体现了心理学的应用功能。我们理解了心跳加速的原因后，就能知道自己可能在什么时候会心跳加速，比如，当众演讲时、遇到挑战时等。

　　第四层次是控制发生的事情，努力支配或者调节某件事情发生或不发生。我们如果知道自己在某些时候可能会心跳加速，紧张得要命，就可以提前采取一些行动来控制

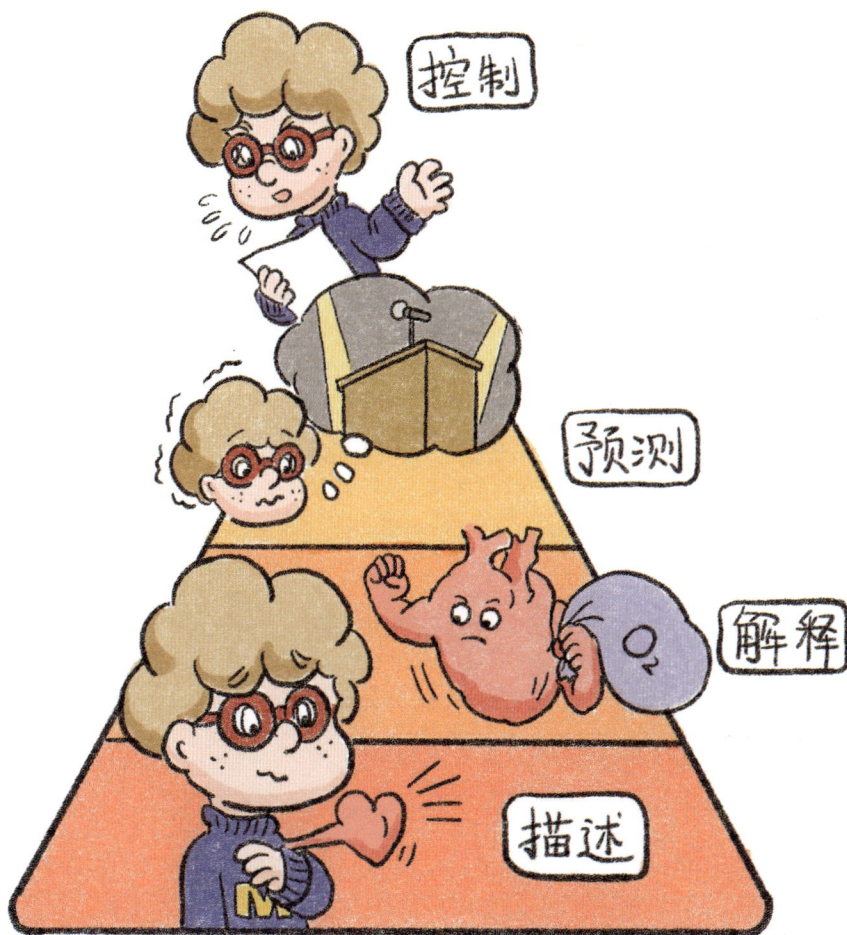

自己的激动情绪，比如转移自己的注意力等。心理学是一门有重要实践意义的学科，它和人类生活的各个领域都有密切的关系。

迈德：原来这才是心理学研究的内容！

你养过小动物吗？通过你的观察，你觉得小动物也和人类一样有心理活动吗？

心理学真的是研究"心"的吗?

心理学的诞生没有明确的时间点。其实,当人类开始关注外部世界和内心世界的各类现象,并试着对它们做出解释的时候,心理学就诞生了。

闪电、雷鸣、洪水、地震、月食，人自身的生老病死、情绪失控，以及千奇百怪的梦境……你是否对这些现象感到恐惧？我们或许都会在某个时刻害怕自己无法解释的东西，因为那会让我们感觉到自己的渺小和无助。原始社会和文明社会早期的人类也一样，人类必须以某种方式来解释这些现象，将它们视作确定的事物，才能克服无知带来的恐惧，获得内心的安慰。

早期人类认为大自然和人一样，都是有生命的，万物之中都有"灵魂"寄居。因此，当人类尝试对自然界中的现象做出解释时，

最简单的方式就是把人的特征投射到自然万物中，认为自然现象是由与人相似、却比人更强大的"神灵"支配。例如，古巴比伦人创造出了上千个神灵，它们都以人的形象出现，也像人一样有喜怒哀乐，分别主管从天、地、太阳、月亮到爱情、生育及战争等各类事务。中国古代神话中也有很多掌管自然现象的神灵，比如雷公、电母、龙王等。

在这一时期，人们相信神灵会引导自己的生活。因此，人们尝试与这些超自然的神灵进行交流，他们往往通过举行仪式，祈求甚至"贿赂"神灵，来获取相应的帮助。在中国古代，如果遇上大旱

无雨、庄稼干枯，民间就会举行求雨仪式，祈求龙王降雨。在古巴比伦，人们认为每种疾病都是由特定的恶魔控制的。生病就是被邪恶的灵魂附体，需要通过祭祀等仪式，把恶灵赶出去。

当时的人们相信，自己的心灵也被自身无法控制的力量所操纵。在古巴比伦文明留下的泥板上，就有对"梦"的描述。人们醒来后如果梦境历历在目，他们会请职业解梦师来解释梦境，以此预测自己的健康和命运。在古埃及，人们非常重视"名字"，把名字看作生命的重要组成部分。他们认为，如果把一个人的名字抹去，就意味着名字主人的权力不复存在，永生永存的希望也彻底

破灭。在充满不确定性的世界里，人们只能通过遵守宗教传统和行为规范来获取心灵的力量、应对生活中各种各样无法解决的问题。古埃及人就有一系列行为规范，包括如何与他人交往、如何尊重女性、如何避免尴尬等。

进入文明社会之后，人类一直在尝试解开关于灵魂和超自然力量的谜题。人类为什么能思考？又如何思考？……这些问题一直令人着迷。千百年来，无数先贤苦苦探索，而正是他们的探索，打开了人类了解自身和这个世界的大门。

喵星大课堂

灵魂"住"在哪里？

古人认为心脏是思考的器官。因为人们在现实生活中观察到，他们情绪激动时，能明显感觉到自己心跳加速；他们极度悲伤时，似乎心脏真的会被"揪"起来。

我们常说"心想事成"而非"脑想事成"，说"心心相印"而非"头头相碰"，这都说明在古代文化中，心脏在情感和思维的产生过程中具有核心地位。我们将这门学科称为"心理学"而非"脑理学"，也充分证明了这一点。

古埃及人也把心脏视为情感、理性和思想的中心场所。他们在制作木乃伊的时候，会小心翼翼地把心脏保存好，却毫不客气地把大脑丢掉。他们相信，只有心脏保存完整，死者才能顺利进入来世，获得永生。

怎么理解心理学的起源？

迈德：心理学家艾宾浩斯曾说过，心理学有长久的过去，但仅有短暂的历史。这是什么意思啊？

赛克：心理学有长久的过去，指的是我们人类开始反思自我的时候，心理学就诞生了。心理学有短暂的历史，指的是人们将心理学作为一门独立学科进行研究的时间并不长。

迈德：那人们是从什么时候开始使用"心理学"这个词的呢？

赛克：心理学的英文是"psychology"，它的词根源于希腊语"psyche"（意思是"灵魂"），我的名字赛克就是从这里来的。它的后缀"ology"意思是"研究"。心理学家的英文是"psychologist"。"psychology"这个词在16世纪左右就有了，但直到1879年冯特在德国莱比锡大学建立第一个心理学实验室，作为独立学科的心理学才真正诞生。

迈德：哦，我知道了！

如果灵魂真的存在，那灵魂有重量吗？

这个问题真让人难以回答，不过什么问题都难不倒好奇的科学家们。1907年，美国医生麦克唐盖尔尝试测量人类灵魂的重量。他设计了一张"床秤"——它既是一张床，同时也是一台秤，能够记录躺在床上的人的体重。

麦克唐盖尔找了6位即将去世的绝症病人，让他们在这台"床秤"上度过生命最后的时光。在这些病人去世之前，特别是在去世那一瞬间，麦克唐盖尔记录了他们的体重，成功测量出了4位病人去世瞬间体重的变化。最后经过平均计算，他得出灵魂的重量是21克，即病人去世瞬间体重降低的平均数值。

尽管麦克唐盖尔的实验结果备受争议，不过用实验来验证猜想的操作方法却受到了推崇。

你呢？你觉得灵魂真的存在吗？

性子急是因为身体中 "黄胆汁" 太多吗？

　　人类不再把自己无法理解和控制的未知现象归结于鬼神的力量，是人类文明发展的重要里程碑之一。人类开始认识到宇宙万物是由自然物质构成的，并且受到自然法则的支配，自然事件的发生和发展是有规律可循的。

　　这一认知同样适用于对人的心理的探索，人类开始认识到心理活动不是神秘的 "灵魂" 的产物，而是有规律可循的。由此，希腊先贤站在各自不同的角度，开始对人类心理进行解读。

当人类开始用理性思考和认知世界，哲学便诞生了，人类的思维方式也因此发生了重大的转变。哲学起源于古希腊，现在的大部分学科，如数学、物理学、生物学和心理学等，都是从哲学中分离出来的。

古希腊哲学家各自专注于不同的研究领域，如自然科学、生命科学、数学和人本学等，他们尝试从自己的研究领域出发，通过合理的逻辑推导来解释人类的心理活动，他们得出的结论大相径庭。

　　从自然科学角度解释心理活动这一学派的代表人物是恩培多克勒，他出生在约公元前 495 年的西西里岛，著有《论自然》一书。恩培多克勒提出，土、水、气和火四种元素为万物本原，每种元素都是永恒的，它们按不同的比例混合后，可以形成世界上各种各样不断变化的复杂物质。这一学派用解释外部自然世界的理论，来分析生命和思维产生的原因。他们认为，宇宙中有两种原始力量——爱与恨，土、水、气、火这四种元素因爱相结合，又因恨而分离。一个人态度的变化，是自己与他人的"吸引力"和"排斥力"相互斗争的结果；喜欢一个人，是因为彼此的"吸引力"压倒了"排斥力"；讨厌一个人，是因为"排斥力"打败了"吸引力"……总之，如果这一学派谈论心理活动，你会听到一大堆物理术语。

从生物学角度解释心理活动这一学派的代表人物是希波克拉底，他出生在约公元前 460 年的爱琴海科斯岛。希波克拉底通过人身体内实际存在的"体液"来解释疾病，对医学走上科学道路起了先驱作用。他提出，人体中有四种体液：血液、黄胆汁、黑胆汁和黏液。如果这四种体液在一个人体内比例恰当，那么这个人就会很健康；而如果其中任意一种体液太多了或太少了，这个人就会生病。四体液论不仅是一种病理学说，而且是一种气质与体质理论，因为四体液论认为，不同的体液比例会让人表现出不同的性格。这一学派强调人类的内在状态和生理机能在心理活动中的作用，把人类活动与其他自然现象区分开来，并将人类的地位提升到自然之上。

黑胆汁

黄胆汁

血液

黏液

从数学角度解释心理活动这一学派的代表人物是毕达哥拉斯，他出生在约公元前 580 年的萨摩斯（今希腊东部的小岛）。毕达哥拉斯很重视数学，宣称数是宇宙万物的本原。这一学派假定数学中存在一种"完善秩序"，它能解释世界上的一切，其中就包括人的心理活动。

　　从人本学角度解释心理活动这一学派的集大成者是苏格拉底，他出生在约公元前 469 年的雅典。苏格拉底非常关注美德和生活的意义，认为"未经检视的生活是不值得过的"。他用归纳法来解释人的思维，比如，我们如果想理解"美"，可以先寻找很多我们认为"美"的个例，然后思考这些个例之间有哪些共同的特点，通过这种方式获得对"美"的客观普遍的知识。这一学派对后世的心理学影响最大，他们强调个体的独特性，将人性置于生命的核心位置，这是学术思想领域的一次大飞跃。

认识世界的方法

迈德：赛克，你通过哪些方法来了解世界呢？

赛克：作为喵星人大学博士，我最擅长通过理性来了解世界了。除了理性，我们还可以通过感觉和经验来认识世界。感觉指通过听觉、视觉、触觉、嗅觉等认识事物；经验指根据过去发生的事情来分析眼前的事物。这两种方法都能帮助我们认识世界，但它们有相同的弊端——对于同一事物，一个人的感觉和经验可能跟另一个人的完全不同。

迈德：古希腊人用理性解释人类心理，是人类的巨大进步。这说明理性是一种强大的能力。但是，为什么这些哲学家对心理的解释却千差万别，甚至相互矛盾呢？

赛克：通过理性，我们能够使用逻辑推导得出结果。但是，推导必须有前提。如果前提错了，无论多么精确的逻辑推导，也推不出正确的结果。而前提正确与否取决于当时的科学水平。

迈德：既然使用理性的方式也不一定能得出正确的结论，那理性还有什么意义呢？

赛克：理性的最大意义在于提供了一种客观的认识世界的方法。使用这种方法，只要前提相同，人们对事物的理解就相同，不受个人主观倾向的影响。随着科学的进步，前提会不断发展，我们对世界的认知也会不断接近世界的客观规律。

"产婆术"是苏格拉底寻求知识的方法，两个人可以通过彼此交谈，不断提出对方谈话中的自相矛盾之处，来把个别的感性认识上升到普遍的理性认识。这看起来很像日常生活中的"抬杠"。

苏格拉底：人人都说要做一个有道德的人，但道德究竟是什么？

答：忠诚老实，不欺骗别人，就是道德。

苏格拉底：但为什么和敌人作战时，我军将领却千方百计地去欺骗敌人呢？

答：欺骗敌人是道德的，但欺骗自己人就不道德了。

苏格拉底：如果我军被敌军包围了，为了鼓舞士气，欺骗士兵说援军马上到，这样的欺骗是不道德的吗？

答：那是战争中出于无奈才说的，日常生活中这样做是不道德的。

苏格拉底：假如你的儿子生病了不肯吃药，你骗他把药吃下去，这也不道德吗？

答：这种欺骗也是道德的。

苏格拉底：不骗人是道德的，骗人也可以说是道德的。那究竟用什么标准来判断是否道德呢？

答：不知道道德是什么，就不能做到有道德；知道了道德是什么，才能做到有道德。

苏格拉底满意地笑了：您真是一个伟大的哲学家，

让我明白了一个长期困惑我的问题！

在这段苏格拉底和路人的问答中，苏格拉底通过"产婆术"引导对方得出了"美德即知识"的结论，一个人只有通过理性，了解了道德是什么，才能最终做出道德的行为。

苏格拉底认为，知识原本就存在于每个人的心中，"产婆术"可以"导出"每个人原本就知道、却没有意识到自己知道的知识。

你同意他的观点吗？

动物和植物有灵魂吗？

古希腊早期哲学家的理性思考启发了后世学者，其中最著名的两位哲学家是柏拉图和亚里士多德。柏拉图注重抽象的理念，亚里士多德注重实际的经验。亚里士多德用当时的生物学知识来解释心理现象，比较系统地分析了心理现象的各个方面。他的《论灵魂》是第一部系统论述人的思维特征的著作，也被认为是心理学史的开山之作。

文艺复兴时期，画家拉斐尔画过一幅名画——《雅典学院》，这幅画描绘了古希腊思想大繁荣的场景。

位于这幅画中间的两个人就是亚里士多德和他的老师柏拉图。右手指天的是柏拉图，右手掌心向下的是亚里士多德。画中细节的设计则和两位哲学家的理论相关。

柏拉图认为，在人们能感受到的经验世界之外，还有一个超越经验世界的理念世界。真理来自理念，现实的事物都是对理念的模仿，灵魂是理念堕落后寄居在肉体上的。理念形式才是绝对和永恒的"实在"，世界上具体的现象是不完美的，只是暂时的反映。在政治上，柏拉图认为当时的城邦制度不合理，所以他假设了一个缥缈的"理想国"。因此，柏拉图手指天空。

亚里士多德注重现实世界的经验，认为理念世界是虚构的，现实世界才是真实的。在政治上，亚里士多德认为人应该首先脚踏实地做一个城邦公民，参与城邦

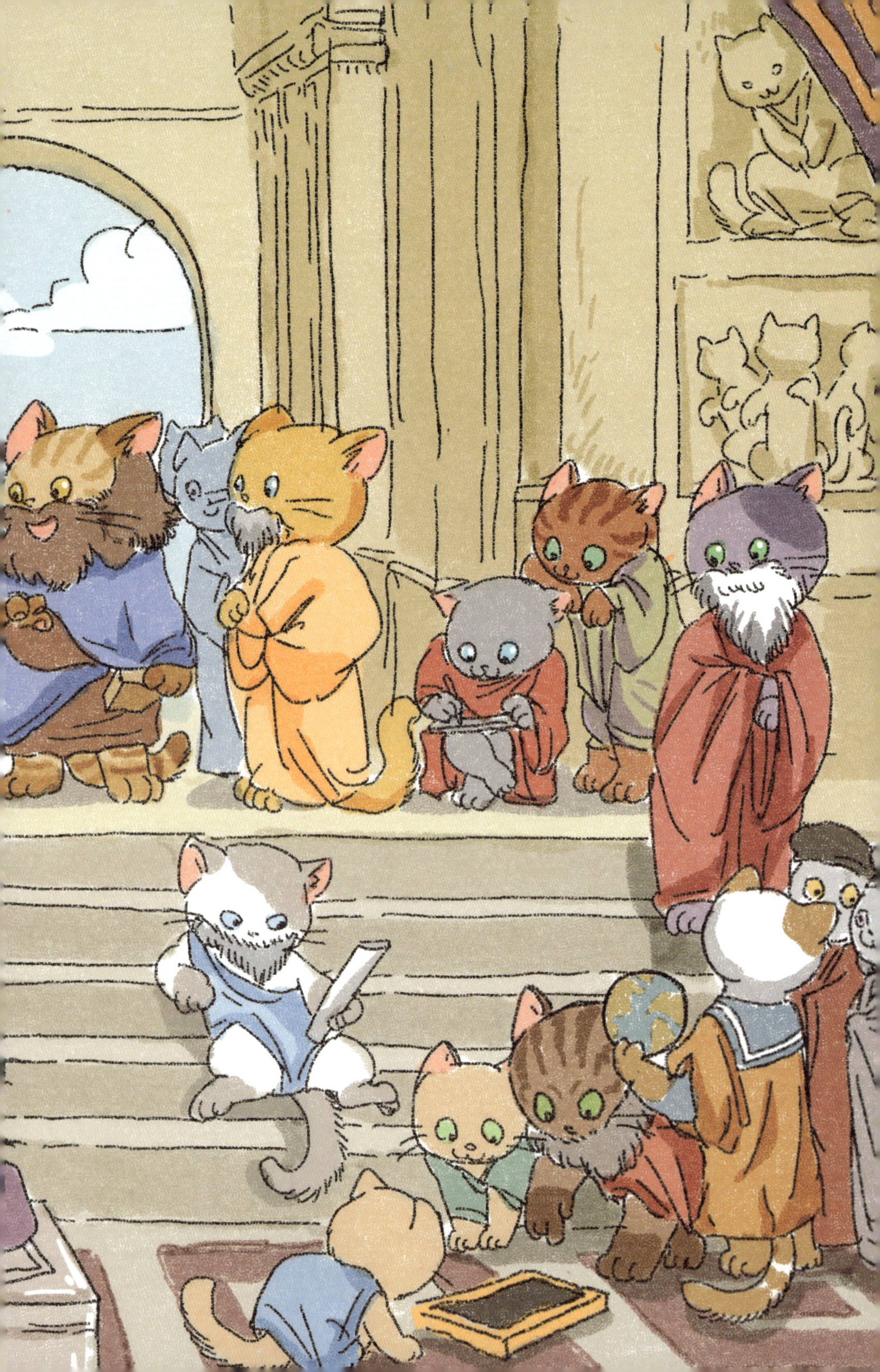

事务，并在此基础上克服现有制度的弊端，找到更好的制度。因此，亚里士多德的思想更"脚踏实地"。

亚里士多德是古代欧洲史上第一个全面、系统地描述心理现象的人。他利用身为亚历山大大帝老师的优势，搜集了大量文献资料，形成了自己的理论体系。他在《论灵魂》一书中论述了记忆、推理、动机、道德、社会行为、发展与衰老、睡眠、梦、语言与学习等主题。

更抽象的问题，比如：为什么毛毛虫会蜇人？它让人疼痛的原因是什么？这就是主动理性。

作为古希腊思想最高峰的代表人物，亚里士多德对科学问题的思考影响了逻辑学、形而上学、物理学、生物学、伦理学、心理学等学科。在心理学领域，亚里士多德强调从现实世界的实际经验中获取知识。他的理论和方法为后续几千年的学术研究提供了框架，至今仍有深远的影响。

遗憾的是，亚里士多德之后，古希腊文明逐渐衰落，心理学的发展也陷入了停滞状态。尤其是在中世纪时期，一切科学和哲学都成了宗教的附庸和工具，心理学思想也同样蒙上了神学色彩，只有一些生理学家和医学家在夹缝中得出了零星发现。这一心理学的漫长黑夜持续了近两千年。

会获得关于毛毛虫的体验。视觉、触觉和痛觉的体验是相互独立的，被称为感觉知识，它们有共同的来源——毛毛虫。这些感觉知识可以提醒我们，以后再看到毛毛虫，要离它远一点儿，因为它会蜇人。这就是我们通过感觉综合归纳出来的常识。根据常识，我们会进一步推断出，和毛毛虫类似的其他昆虫也不能摸，因为它们同样会蜇得人很痛。这被称为被动理性。而我们还可以思考

主动理性

被动理性

常识

感觉知识

在《论灵魂》中，亚里士多德提出，身体可以通过触觉、味觉等感觉器官接受原始的外部信息，而灵魂则是每个人的本质。有了灵魂，身体才能存在；失去灵魂，身体就会腐烂。然而，灵魂只有通过身体才能发挥作用，将身体的潜能转化成现实的生命活动。

他进一步将灵魂分为三大类：植物灵魂、动物灵魂和理性灵魂。其中，植物灵魂具有生长、吸收食物营养和繁殖的功能；动物灵魂具有植物灵魂的所有功能，再加上感觉、反应、快乐与痛苦以及记忆的功能。只有理性灵魂是人类独有的，它除了有植物和动物灵魂的所有功能之外，还有理性和思考的功能。

亚里士多德将人类的认识划分为四个层次，由低到高分别为——感觉知识、常识、被动理性和主动理性。

假设我们面前有一只毛毛虫。我们通过视觉（看到毛毛虫的外观）、触觉（摸上去毛茸茸的）、痛觉（被蜇到很痛）等感觉

希腊三贤人

亚里士多德有一位非常有名的老师，叫柏拉图，柏拉图也有一位非常有名的老师，叫苏格拉底。他们师徒三人都是成就卓越的哲学家，他们的思想照耀了整个人类文明。

苏格拉底的母亲是一位接生婆，受到母亲工作的启发，他将自己的思考方法命名为"产婆术"。苏格拉底探讨的主题包括教育、伦理、心灵、知识等，他的思想影响了众多古代和近代的哲学家。

在对话体哲学著作《理想国》中，柏拉图借老师苏格拉底之口，阐述自己的思想体系，探讨理想国家的问题，内容涉及哲学、伦理、教育、文艺、政治等方面。他认为统治者最好自己就是哲学家，有两种途径可以实现这一"理想"：第一种是让哲学家成为皇帝，但这不太可能；第二种则是让皇帝成为哲学家。柏拉图曾在西西里国王迪翁那里尝试过第二种途径，但最终无功而返。

亚里士多德是柏拉图的学生，但他并没有受到柏拉图思想的限制，对很多问题都有自己独到的思考和见解。他说"我爱我的老师，但我更爱真理"。他的大量观点都与柏拉图的观点相对立，柏拉图甚至说"要给亚里士多德戴上缰绳"。

亚历山大大帝是亚里士多德的学生中最有名的，他用武力统一了欧亚大陆，这为他的老师、老师的老师、老师的老师的老师的思想的传播扫清了地缘上的障碍。

什么是"三段论"？

迈德：亚里士多德为什么这么厉害？他在认识世界的时候，有没有什么特别的方法？

赛克：备受亚里士多德推崇的求知方法是"三段论"。这种推理方法包括大前提、小前提和结论三个部分，能依据现有的知识，通过推理演绎出更多的知识。在"三段论"推理中，大前提是一条一般性陈述，小前提则是一条特殊的陈述，根据大前提和小前提，可以推导出相应的结论。只要大前提和小前提都正确，结论就是正确的。

亚里士多德用老师苏格拉底举过一个例子。

大前提：人都会死。

小前提：苏格拉底是人。

结论：苏格拉底会死。

迈德：这种方法真的可以依据现有的知识推出很多新的结论！

赛克："三段论"的推理方法仍然是目前人类认识世界的重要工具。但是，这一方法只适用于人文科学，在自然科学领域行不通。同时，这一求知方法特别依赖于大前提的正确性，如果大前提被推翻，那么根据这个大前提建立的整个知识体系都会被全部推翻。

柏拉图有一个著名的"洞穴隐喻"：设想有一批囚徒，从小就生活在一个山洞里。有一条长长的通道把山洞和外面的世界连接起来，外面的光线只能通过这条通道照进来。囚徒的头、腿和脚都被绑住了，无法转头和转身，他们看不到洞口，只能看到洞口对面的墙壁。他们看到的都是外面的物体投射到墙壁上的影子。

在他们眼中，世界上只有影子，他们把这些外部物体投射到墙上的影子当作真实存在的东西。

有一天，其中一个囚徒挣脱了束缚。他转过头，看到了光线和物体，顿时感到无比困惑，因为他认为影子比物体更真实。而当他走出洞穴，看到外面的真实世界时，他才认识到，原来他之前看到的全是假象，真实的世界原来是这样的。

柏拉图用这个故事来类比人类对世界的认识。洞穴里的世界相当于我们感知到的世界，而洞穴外面的世界则相当于真实的世界。人类就像囚徒，通过印象感知虚假的世界；只有通过教育，获得理性的认知，人类才能获得启蒙，从而走出洞穴。

如果你是那个从洞穴里被释放出来的囚徒，当你回到洞穴里，你会用怎样的方法把真相告诉其他人呢？

我们的身体是由心灵控制的机器吗？

　　14 世纪文艺复兴兴起，各种思想和理论百花齐放，欧洲再次踏上了"智慧之路"。文艺复兴的伟大成就在于重视并维护人的价值和地位，用"人权"取代了"神权"。只要不过分挑衅教会，人们一般都可以自由地思考。15 世纪中叶，印刷技术飞速发展，思想的传播更加便捷。与此同时，大批探险家投入到大航海的旅程中，人们的地理知识得到了前所未有的扩充。在这一时期，关于宇宙以及人在宇宙中位置的观念也发生了巨大的改变。所有这一切都大大推动了科学的发展，同时也改变了人对心理活动的认知。

随着科学技术的发展，人们发明了各种各样的机器。风车、水车等的发明使自然力广泛应用于纺织、采矿、冶炼等行业。同时，各类发明创造也渗透到了人们生活的各个领域——在欧洲，教堂和公共建筑上都放置了精密的时钟；一些富人家里装上了复杂的机械式喷泉……

在这样的背景下，人们开始联想，或许人自身也只是一台机器，只不过这台机器比较复杂罢了。

法国数学家和哲学家笛卡尔就认为人的身体也是一台机器，而控制这台机器的是人的心灵。笛卡尔提出了"二元论"。他肯定了两个实体：心灵和身体，并认为这两个实体是独立存在的。其中，身体是物质的，由机械定律控制；而心灵则是非物质的，负责感受并引导身体的活动。

根据笛卡尔的理论，身体能够按照机械定律对外部刺激做出反应。为了解释这一点，他最早提出了"反射"的概念，把神经比作绳子，绳子的一端连在感觉器官上，而另一端则连在大脑上。感觉器

官受到刺激时，会牵动绳子，让绳子动起来，使大脑中的某些"细孔"张开，这样人就能感受到刺激。例如，我们体内有一根从脚一直延伸到大脑的绳子，当我们的脚踩到钉子时，绳子就会牵动大脑，使人感受到疼痛。这种自主反应并不需要精神的参与，而精神活动可以在没有任何感官输入的情况下产生。

　　早期，笛卡尔认为人和动物是完全不同的。动物没有思想，它们的活动仅仅依靠身体的结构。因此，动物可以被理解成一台没有理性的机器。而人跟动物不一样，人具有理性，拥有思想。理性不是来自物质的力量，而是由神创造出来的，即"神造理性"。这一理论符合基督教灵魂不灭的信条。

晚年，笛卡尔对医学产生了浓厚兴趣，他的理论体系有了新的发展。他认为精神不是"神造理性"，而是人体内的"动物精气"。外界刺激会使大脑打开一条管道，"动物精气"会顺着管道流向受影响的区域，对身体"发号施令"。

现在看来，笛卡尔关于"动物精气"的论述很荒谬。但当时，这一理论的贡献在于否定了"神造理性"，让心理活动逐渐从宗教的神创论里脱离出来。

笛卡尔的思想对心理学的发展产生了重大影响。一方面，他提出了反射等观点，为研究心理现象的物质基础提供了科学的假设；但另一方面，笛卡尔提出的二元论将原本统一的心理现象分割成两半，对后来的心理学研究造成了一定的阻碍。

这一时期，很多科学家和笛卡尔一样，他们探索自然的目的并不是否定教会，而是为了找到上帝存在的依据。例如，伟大的科学家牛顿坚信宇宙是上帝创造的一台机器，这台机器的运行复杂而有规律，他的任务就是通过观察和实验发现这些规律，让人们更好地理解上帝创造宇宙的方法。

然而，这些科学家的研究成果反而大大削弱了上帝的影响。在牛顿提出著名的牛顿三大定律和万有引力定律之后，人们发现，原来世间万物的运动是有客观规律可循的！因此，在笛卡尔观点的基础上，有些科学家认为，不仅我们的身体是一台机器，我们

SUN

Earth

的精神也像机器一样，并不神秘。这种观点被称为"机械论"。虽然"机械论"听上去有些僵化，但它强调我们可以用研究物质的方法来研究精神，这让心理学离一门真正的学科又近了一步。

"我思故我在"

有一天，笛卡尔问自己："我眼前的世界是真实的，还是只是一场梦？"

笛卡尔在思考的过程中发现，就算自己能够怀疑一切，但是有一件事不能被怀疑，那就是"我"的存在。因为，只要"我"在怀疑，那么"我"就是存在的。"我"如果不存在，就不会有怀疑的念头了。

这就是著名的"我思故我在"。笛卡尔的这一观点将世界分成了两个部分：我（灵魂、意识、精神等）和其他（身体等）。所以，哲学史上把笛卡尔归为"二元论者"。

牛顿是一位神学家吗？

迈德：在我的印象里，科学和宗教可是"死对头"啊！牛顿作为世界上最伟大的科学家之一，应该站在反对宗教的最前线吧。

赛克：事实恰恰相反，牛顿是一位虔诚的天主教教徒。

迈德：那是不是这样的？年轻的时候，牛顿才华横溢，在科学上有很大的成就。可是后来他年纪大了，才思枯竭，就转投神学门下。

赛克：完全不是这么回事。严格来说，牛顿是一位神学家，只是顺便"兼职"做了一下科学家。他一生中84%的作品都是神学著作，剩下的16%才是自然科学著作。

巧的是，牛顿和基督教的救世主耶稣的生日在同一天。因此，牛顿从小就坚信自己是"天选之子"，要肩负起自己的使命——孜孜不倦地刻苦研究自然科学，证明上帝的存在以及上帝的正确性，忠实地为上帝服务。

虽然牛顿研究自然科学的初衷是证明上帝的存在，但他的研究成果却启发了后来的研究者进一步探索大自然的

63

规律，促进了科学的发展，加速了神学的衰落。

迈德：看来，牛顿才是科学界安插在神学领域的最大的"卧底"。

笛卡尔认为，传统哲学研究使用的方法并不正确，他提出了"好方法"的四条基本原则。

1. 保持怀疑，只赞同那些无法怀疑的东西。现代科学发现，为了节约能量，我们的大脑倾向于快速做出决定。但是，保持理性意味着我们不能盲目接受任何一种观点，而应该仔细思考、得出自己的结论。

2. 把复杂的问题分解成更细小的部分。解决了每个细小部分，也就解决了复杂的整体问题。

3. 按照顺序引导思想。从最简单、最容易认识的部分着手，逐步认识更复杂的内容。

4. 尽可能详细、全面地进行整体考察，确保没有遗漏。

你也来试一试，把笛卡尔的方法论应用在平时的学习中吧！

摸摸头就能知道
一个人的性格吗？

在心理学发展早期，要想通过观察大脑来研究人的心理，唯一的方式是观察死人的大脑。但是，这种方法具有很大的局限性。心理学要想进一步发展，就必须对活人进行实验或观察。于是，在 19世纪初，颅相学风靡一时：通过颅骨的形状，推断人的认知能力和人格特征的学说。这一学说被认为走在当时大脑与心理关系研究的最前沿。

一个人的脾气是温和还是暴躁，是聪明还是迟钝，是爱打篮球还是爱画画……这些能否都通过身体的外在特征——比如脑袋的大小、头骨的形状等表现出来呢？

对于这个问题，东西方各有回答。在中国古代，有一种相面术，根据人的面部特征与神情状貌来推断吉凶祸福，即通过"面相"来识人。在西方，颅相学是通过人颅骨的形状来推理其心理特征。两者比较起来，相面术更多地依靠经验来推测，带有一定的玄幻色彩；而颅相学源于解剖学，从诞生起就披着科学的外衣，似乎有一定的科学依据，结论也更具迷惑性。

提出颅相学的是德国医生加尔。加尔从小就善于观察，他对自己和兄弟姐妹的外貌十分好奇。加尔注意到，在他的同学中，记忆力超群的两个同学眼睛都是鼓出来的。因此，他开始思考，一个人的个性是否和面部、颅骨特征有关？从此，他开始关注人的外部特征与内在性格的关系。长大后，加尔成了一名解剖学家。经过多年的观察和总结，加尔发现眼睛明亮的人记忆力都非常好；头骨隆起则可能代表贪婪，因为监狱里的盗贼都有这样的特征。

于是，加尔提出了自己的假设，他认为人的每种心理功能（如记忆能力、语言能力等）都由大脑中的特定区域负责，由于颅骨紧紧地包裹着大脑，颅骨的外形能反映大脑的特征。如果某个脑区发育得好，那么颅骨的相应区域就会隆起；如果某个脑区发育得不好，那

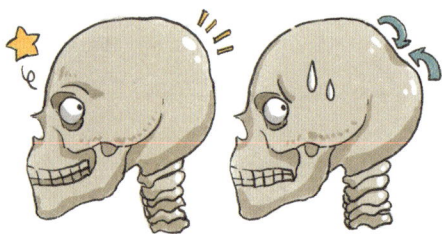

么颅骨的相应区域就会凹陷。因此，颅骨的形状能揭示一个人的性格特征。

为了验证这一假设，加尔努力寻找相应的证据支持。他最先想到的方法是解剖。通常，他先选定观察对象，尽可能全面地记录这个人的性格特征，然后，等这个人去世后收集他的尸骨，试图找到其颅骨结构和其性格特征之间的关系。例如，他发现仁爱慈祥的人颅骨的前额上方正中间会凸起，所以他把这一区域叫作"仁慈区"。

除了使用解剖的方法之外，加尔还善于观察特殊的个案。例如，他发现一位善于社交的女子颅骨后部特别发达，由此他认为这一区域是"友爱区"；他观察到小偷的耳朵上方有比较大的突起，因此把这一区域叫作"贪婪区"。

加尔把人的颅骨划分成不同的区域，每个区域分别与一个心理特征相关。他也由此得出结论——依据一个人颅骨的形状，能够判断出这个人的 27 种性格特征，比如这个人是否重感情、是否贪婪、意志是否坚定等。加尔还认为，人的大部分心理功能动物也有，比如记忆、语言能力、音乐天赋等，只有智慧、仁慈、意志坚定等 8 种心理功能是人类特有的。后来，其他的颅相学家扩展了加尔的区域划分，画出了更详细的颅相学分区图。

至此，颅相学更加系统化，形成了一套逻辑严密的理论，其逻辑推理过程是：

首先，大脑是产生心智的器官。

其次，每种心理功能由不同的大脑区域负责。

再次，负责某项心理功能的大脑区域的大小，是衡量其对应的心理能力的重要尺度。

再其次，大脑的形状是由各个大脑区域的发育状态决定的。

最后，颅骨形状来自内部大脑的形状，是衡量心理能力的准确指标。

在当时看来，这个推理过程中每个环节都是正确的，整个逻辑链条的论证也非常严密。因此，颅相学一问世，就在英国广泛流行起来，后来又传到美国、法国、德国……一些历史名人，比如爱伦·坡、沃尔特·惠特曼、爱默生等，都是颅相学的忠实拥护者。甚至到 19 世纪前半叶，颅相学依然被誉为"唯一真正的、关于心灵的科学"。

今天看来，加尔验证自己理论的方法其实并不科学。他总是选择能够佐证自己理论的个案，而忽略了很多不符合自己理论的例子。19 世纪末，颅相学逐渐衰落。但无论怎样，颅相学将人的心理功能与颅骨的外形特征联系起来，并试图揭示它们之间的关系。这是人们用科学的方法解释人类心理的一次重要尝试。颅相学认为大脑是心灵的器官，这一点成为人们理解心智的重要共识。"大脑中的不同区域负责不同的心理功能"这一观点大大推动了对大脑功能的研究，也对后世的心理学家产生了重要影响。

怎样证明颅相学是错误的？

迈德：颅相学听上去确实不科学，不过，如何用最简单的方法证明它是不科学的呢？

赛克：要想证明颅相学是错误的，只要推翻它推理链条上的任何一个环节就可以了。下面我们来看看，它的逻辑推理链条上有哪些环节。

大脑是产生心智的器官——正确。

每个心理功能由不同的大脑区域负责——不完全正确。很多心理功能都是大脑多个区域彼此协作、共同实现的。

负责某项心理功能的大脑区域的大小是衡量其对应的心理能力的重要标准——错误。就像锻炼时多使用某块肌肉会让这块肌肉变大一样，多使用某块脑区也会使这一脑区"变大"，但却不能反过来说这块区域越大，相应的能力就越强。

大脑的形状是由各个大脑区域的发育状态决定的——没有证据表明大脑的形状和各个脑区的发育状态之间有必然的因果关系。

颅骨形状来自内部大脑的形状——二者没有必然的因果关系，而且婴幼儿时期的睡姿也会影响颅骨的形状。

迈德：我明白了，颅相学推理过程中有一些环节是错误的，还有一些我们目前无法确认，所以它的推理结果显然是不科学的。

你觉得能仅仅通过一个人的长相就判断他是好人还是坏人吗？

大脑受伤会改变人的性情吗?

　　颅相学认为,不同的大脑区域各自负责特定的认知功能,不过,很多科学家并不认同颅相学的结论。他们开展了自己的研究,有些研究支持不同大脑区域负责不同功能,有些研究则表明大脑是作为一个整体在发挥作用的。尽管他们的结论大相径庭,但他们的探索过程对人类了解大脑非常重要。

为了验证颅相学的结论，科学家们使用了很多方法，他们有的观察被切除了部分大脑区域的动物，有的观察大脑受伤的病人，还有的直接用电来刺激特定的大脑区域。

　　19世纪初，法国生理学家弗卢龙用"切除法"和"损毁法"来研究大脑：先把动物大脑的一块切除或损毁，然后再观察损伤对行为造成的后果。弗卢龙通常用狗、鸽子等小动物来做实验。他发现，切除或损毁某些大脑区域后，动物的某些功能会丧失。例如，在切

除小脑后，动物的肌肉协调能力和平衡感消失。但是很多时候，丧失的机能又会得到修复。也就是说，大脑的其他区域承担了受损区域的功能。因此，他得出结论：大脑是作为一个整体在发挥作用的，并非像颅相学所说的那样分为不同的功能区域、各自为战。

弗卢龙的研究一度颠覆了颅相学等大脑功能定位的学说，但接下来的一个案例却让他的学说备受挑战。

功能完整时：

去除小脑后：

　　在 1848 年的一场爆炸中，一根铁棍击穿了美国铁路建筑工地主管盖奇的颅骨。一根重达 6 千克的铁棍，被爆炸的冲击力撞飞，从盖奇的左颧骨下方穿入头部，从头颅顶部穿出。在毁了盖奇左前部几乎所有颅骨组织后，铁棍又在空中飞行了约 30 米才落地。

　　不可思议的是，尽管受到了这种致命性创伤，盖奇奇迹般地活

了下来，但他的个性却发生了很大的变化。受伤之前，他对工作认真负责，关心下属、尊重同事；康复之后，他却表现得傲慢无礼、迷迷糊糊、顽固不化又反复无常。朋友都说"他已经不再是以前的盖奇了"！

盖奇被伤到的部位涉及我们今天所说的大脑额叶。这个例子说明大脑中不同的区域确实负责不同的心理功能，比如额叶的功能就包括让人能够约束自己的行为。对盖奇的研究是对额叶及其相关行为的现代临床研究的开端。

想要研究哪个大脑区域具体负责哪些功能，最直接的办法就是观察大脑受伤的病人，这样就能找出受伤的大脑区域和受损的大脑功能之间的对应关系。但在 19 世纪，实验的条件有限，科学家很难观察到病人大脑损伤的具体区域。所以，他们会先记录下病人的认知、情绪和行为等方面的变化，等到病人去世后再检查他们大脑受损的具体区域。

19 世纪 60 年代，法国医生布洛卡在医院观察到一个特殊的病人，这位病人心智正常，声带等发声部位也正常，但却无法说出完整的话，只能发出类似"tan"的声音。病人去世后，布洛卡解剖了病人的大脑，他发现病人左脑前额叶中部有一处内伤。布洛卡于是认为这个大脑区域是负责语言表达的。后来的科学研究证实了这一发现，因此这一大脑区域被命名为"布洛卡区"。

布洛卡失语症

布洛卡失语症，又称表达性失语症，指由于大脑中布洛卡区受损，患者无法恰当进行言语表达的一种疾病。这种疾病的主要表现为：可以理解言语，但无法表达意思；说话缓慢且不连贯；无法恰当使用逻辑关联词。

这一病症的患者会这样说话："哦……星期二……十点，医生……两个……医生……及阿……牙齿……对的。"

到了 19 世纪 70 年代，德国神经科学家威尔尼克发现了控制语言理解的大脑区域。如果这个区域受到损伤，人们就理解不了别人说的话。这块区域也因此被命名为"威尔尼克区"。

这些研究似乎又在一定程度上支持了颅相学，即大脑中特定区域负责特定的心理功能。

但很快，这种观点就遭到了质疑。

电被发现后，不久便被应用到生理学研究领域。19 世纪 70 年代，苏格兰科学家费里尔使用精准的电刺激去刺激猴子的大脑。他发现了很多大脑功能区域，比如，负责运动、嗅觉、视觉等的区域，但这些发现与颅相学给出的功能分布区并不一致，而且有些大脑区域还支持多种功能。比如，颅相学认为与人的性格坚定有关的区域，在这次实验中却被证明是负责感觉和运动的区域。

那么大脑究竟是作为一个整体在发挥作用，还是分成不同部分分别发挥作用呢？这一直是困扰科学家的一个难题。但科学家们并没有放弃，在一次次具有颠覆性的、超越前人的研究中，我们对人类心理的认知也在一步步加深。

根据目前的科学研究，对于比较复杂的认知活动，比如做出决策，大脑需要作为一个整体发挥作用；对于稍微简单一些的认知活动，比如语言相关的认知活动，大脑可以把它们进一步拆解成不同的细分过程，各个细分过程由相应的大脑区域作为主导发挥作用，其他大脑区域协助发挥作用；对于更简单的认知过程，比如视觉过程，则由单独的大脑区域负责。

小知识

大脑皮层分区及其基本功能

人的大脑分为左右两个半球，每个大脑半球主要可以分为四个区：额叶、顶叶、枕叶、颞叶。

它们各自的主要功能如右图所示，不过很多认知功能都是多个大脑区域密切配合的结果。

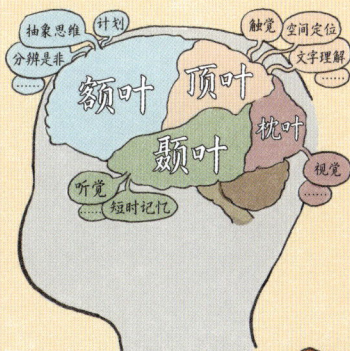

一枪治好强迫症

在加拿大，有一个名叫乔治的年轻人深受强迫症的困扰。他非常害怕细菌，每天会洗几百次手，有时候一洗就是几小时。

精神科医生对乔治进行了一年多的治疗，可他的强迫症始终没有好转的迹象。乔治深深陷入抑郁之中，没法上学、没法工作，对自己越来越绝望。1983 年，19 岁的他来到地下室，用一把 22 毫米口径的步枪抵住上颌，随后扣下了扳机……

幸运的是，乔治被抢救了过来。更幸运的是，他的强迫症竟然奇迹般地好了。

这颗子弹卡在了乔治大脑左侧的额叶区域。医生取出子弹后，他的强迫症也好了。而且他的智商并没有因此受到影响，从此过上了正常的生活。后来，乔治还考上了大学，在大学里他几乎每科成绩都是 A。

科学家由此推断：乔治强迫症的根源在其大脑左侧的额

叶，而这颗子弹正好破坏了这个区域。

　　乔治的传奇故事是小概率事件，它说明精神疾病往往在大脑内部有相应的病灶。

左脑和右脑负责的功能不同吗？

　　迈德：我经常听别人说左脑和右脑，我们的大脑真的分为左脑和右脑两部分吗？

　　赛克：是的，大脑很像一个核桃仁，左右各有一个半球，中间名为胼胝体的区域将左右两个半球连在一起。

　　迈德：左脑和右脑负责的功能真的不同吗？

　　赛克：人们通常认为左脑和右脑负责不同的功能，左脑占主导的人更擅长逻辑思考，

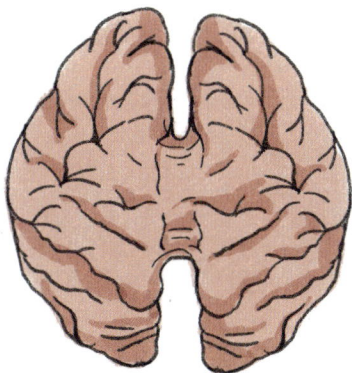

而右脑占主导的人更有创造力。

其实，左右脑会同等地执行几乎所有功能，只是有些时候，它们侧重的方面不同。科学家斯佩里专注于研究左右脑，并因此获得诺贝尔奖。他发现左右脑在语言加工方面有着明显的差别。左脑负责语法和语言的意义，而右脑更擅长处理与情绪相关的内容，以及语气、语调等细微的语言差别。但这并不代表"左脑＝逻辑""右脑＝创造力"。

想一想？

假如你有一个朋友小明，他因为大脑受伤，性格发生了变化，你认为小明还是小明吗？

智力可以遗传吗？

就在人们为大脑的功能争论不休时，19 世纪中叶，在一段漫长的科学考察之旅后，有个叫达尔文的人提出了进化论的假设。这一假设引发了当时思想界的变革，也为心理学的发展带来了新的启发。顺着达尔文的思路，科学家开始从演化的角度研究心理，人的智力是他们最为关注的领域之一。

1859 年，达尔文出版了《物种起源》，他在书中提出进化论的观点，认为现有的所有生物都是由共同的祖先演化而来的。在同一物种内部，不同的个体之间会有一些差别，如果某些特点有利于个体在自己所处的环境中生存和繁衍，那么具有这些特点的个体就更容易存活下来，并把这些特点遗传给后代。例如，达尔文认为，原本鹿群中就有短颈鹿和长颈鹿之分，在生存斗争中，短颈鹿因抢不到高处的食物，容易被饿死，所以渐渐被淘汰。长颈鹿则因为更容易吃到食物而生存下来，经过长期、缓慢、连续的自然选择，最终呈现的就是长颈鹿这个物种。这就是"物竞天择，适者生存"。生物的演化过程相当于让大自然来选择更

能适应环境的生物，达尔文把这称为"自然选择"。

这一学说令当时的整个学术界为之轰动。根据达尔文的进化论，人类也是演化而来的，人类的心理特征不是"神"赐予的，而是在长时间的自然选择过程中巩固、遗传下来的。从此，很多科学家开始用进化论的观点研究人类的心理特征。

他们当中最著名的科学家之一是达尔文的表弟——英国科学家高尔顿。他从人的智力、性格、体能和身高入手，探究人的心理特征与遗传的关系，他最感兴趣的问题是智力能否遗传。为了探究这个问题，高尔顿对比了杰出人才后代和普通人后代成为杰出人才的概率，发现杰出人才后代成功的概率远远高于普通人。如果一个人出生在成功人士的家庭，他未来成功的概率为二分之一；而生在普通人家，他未来成功的概率只有三千分之一。

因此，高尔顿认为智力是遗传得来的，应该鼓励聪明人结婚，避免笨人结婚，这样能提高整个人类的智力水平。高尔顿由此创立了"优生学"，鼓励夫妻根据遗传学原理科学配对，生育优秀的后代，提高人种的质量。

高尔顿的这一推论遭到了很多人的质疑，因为成功人士和普通

优生学

高尔顿提出的优生学可以分为两类：第一类是积极优生学，即促进"优等人"进行婚配，以生下更优秀的后代；第二类是消极优生学，主张限制甚至阻止"劣势人群"生育后代。

然而，他所提出的优生学给人类带来了巨大的灾难。后来，德国纳粹利用这一理论，实施了种族灭绝计划，比如屠杀犹太人等其他族裔；同时推行"生命之源"计划，清除"劣势人群"，批量制造"优等人种"。

人提供给下一代的物质条件、人脉资源等都是不一样的。成功人士可以让孩子从小周游世界，学习各类知识，掌握正确的思考方法；而普通人可能先要考虑孩子吃饱穿暖的问题。不同家庭的孩子并不是站在同一条起跑线上的，成才的概率不可能一样。

为了回应这些质疑，高尔顿开展了"双生子研究"来进一步验证自己的理论。他发现，同卵双生子即便被分开抚养，生活环境完全不同，在很多方面仍十分相似；而异卵双生子即便在一起抚养，生活环境相同，他们的差异还是很大。这说明遗传对儿童生长发育的影响比环境更明显。

双生子研究

为了研究遗传和环境对个体发展的影响，科学家需要把遗传和环境的影响分开。例如，他们常常将"同卵双生子"和"异卵双生子"进行比较。同卵双生子由同一受精卵发育而来，他们在遗传上非常相似；而异卵双生子由不同受精卵发育而来，在遗传上的相似度并不比普通兄弟姐妹之间的相似度更高。有些双生子在婴儿时期就被不同的家庭收养，在不同的环境中长大。通过研究相同环境和不同环境中的双生子，科学家可以区分遗传和环境的影响，这种研究被称为"双生子研究"。

除了心理特征的遗传，高尔顿在心理测验方面也有很大贡献。他曾经在英国皇家地理学会的协助下到非洲南部考察，这段野外考察的经历让他养成了一种特别的爱好——测量事物。

为了探究人类的才能，他设计问卷询问人们的喜好、性格特征等，并且在他的"实验室"里测试人们的各种能力，比如估算长度的能力、辨别味道的能力等。目前，心理学领域经常使用"问卷法"，以及强调用测量的方法区分个体间的差异，这些都是高尔顿首创的。

作为一位勤奋的科学家，高尔顿收集了大量的数据，为了分析他得到的数据，他又开发了一系列统计方法。

相关关系计算描述了变量之间的某种关联关系，当一个变量取一定的数值时，另一个变量的数值虽然不能完全确定，但往往会按照某种规律落在某个范围内。例如，语文成绩好的同学，数学成绩也好，这就是正相关关系；而语文成绩好的同学，数学成绩不好，这就是负相关关系。相关系数可以用来表示相关关系的强弱，两组数据的相关系数越高，表明相关关系越强。

重测信度又称稳定性系数、再测信度等，是用同一测验在不同时间对相同群体测量两次所得分数的相关系数，可以反映测验结果的稳定性。两次测量的相关系数越高，表明测验的稳定性越好，测量结果越一致和可靠。

高尔顿开创的这些统计方法进一步促进了心理学研究的科学化，他的理论距离现代心理学只有一步之遥。英国的心理学史研究者曾酸溜溜地说："英国的自然哲学能够把高尔顿的研究容纳在内，让他感觉没有必要创造一门新学科。不然，现代心理学就诞生在英国，而非德国了。"

达尔文的婴儿

根据进化论的观点，一个人从出生到逐渐成熟的发展过程和整个人类的演化过程具有相似性。因此，通过观察儿童心理的发展，生物学家可以推理出人类心理的演化过程。

为了研究人类心理的演化，达尔文将自己的儿子威廉作为研究对象，细致地观察和记录了威廉的成长过程。他的记录非常详细。

出生第 7 天，婴儿就有了反射动作，比如打喷嚏、打哈欠等。出生第 9 天，婴儿的目光就能朝向烛火。出生第 45 天，婴儿开始微笑。

4 个月大时，婴儿开始生气。5 个月大时，婴儿能把两种事物联系起来。7 个月大时，婴儿能把名称和具体的人联系起来，有人喊妈妈，他就会看向妈妈。达尔文认为，把两种事物联系起来的能力是婴儿心理发展的一个重要里程碑。

另外，达尔文发现威廉从 2 岁 8 个月开始就会欺骗父母：威廉

会把偷拿食物时留在衣服上的食物污渍遮住，装成没有拿过食物的样子。

　　达尔文的婴儿观察报告为"发展心理学"这一研究领域的诞生打下了基础。现在的心理学家在研究婴儿发展时也经常采用达尔文的观察法。不过，他们除了在日常生活中观察婴儿以外，也会根据具体的科学研究目的，设计一些特殊场景来观察婴儿。

　　例如，耶鲁大学心理学家凯伦·温在 2009 年开展了一项实验，实验的研究对象是 1 岁大的孩子。她首先让孩子一起观看一出木

偶剧，剧中有三个木偶，在两个木偶一起玩球的时候，第三个木偶比较淘气，拿起球跑开了。实验结束后，研究人员把这三个木偶展示给孩子们看，在每个木偶面前都摆了一个奖品作为给木偶的奖励，孩子们可以拿走任意一个木偶面前的奖品。结果，大多数孩子都拿走了那个比较淘气的木偶面前的奖品。有一个男孩不仅拿走了奖品，还打了那个淘气的木偶。实验结果表明，1岁大的孩子已经意识到公平公正很重要。

孩子会越长越像父母吗？

迈德：我们班有的同学特别聪明，每次考试都是前几名。我想知道他们的智力是不是父母遗传的。

赛克：为了研究一个人的智力多大程度上来自父母的遗传，多大程度上受到环境的影响，科学家可是绞尽脑汁。

迈德：因为把遗传与环境的影响区分开是很难的？

赛克：是的，不过这可难不倒科学家。我们前面讲过的双生子研究就可以克服这一困难。英国国王学院的罗伯特·普洛明等科学家经过大量研究发现，大约50%的智力水平是遗传而来的。所以，要想变聪明，你的努力还占50%。

迈德：那么，除了智力以外，其他心理上的特点也会遗传吗？

赛克：和智力相比，其他心理特征普遍受遗传的影响更小。比如，一个人的兴趣爱好就不太受遗传影响。还有一个有意思的现象：随着年龄的增长，我们受遗传的影响越来越大。比如，在语言能力方面，5岁时遗传的影响大约为46%，而18岁时则上升到84%。有的人推测，这是因为随着时间的推移，遗传的影响就像滚雪球一样越滚越大。这可以解释为什么孩子会越长越像父母。

你觉得自己有哪些性格特点和爸爸妈妈很相似？你觉得这些特点是后天可以改变的吗？

一个人的感觉也可以测量吗？

十八、十九世纪，在生物学领域，达尔文提出了进化论；在物理学领域，除牛顿定律之外，科学家又陆续发现了光、电、热等各种物理现象的规律。有些科学家想沿着物理学的研究思路，对人的内心世界进行更深入的探索。但是我们内心的感觉到底要怎么测量呢？1860 年，德国物理学家费希纳提出了专门研究心理活动的"心理物理法"，心理学离一门真正的现代学科越来越近了。

1796 年，英国皇家天文学家马斯基林观察并记录了某颗星在望远镜中穿过子午线的时间点。他让助手观察望远镜并核实时，发现助手报告的时间总比他晚，助手不但帮不了忙，甚至还帮了倒忙。于是，他毅然辞退了这名助手。

这件事引发了另一位天文学家贝塞尔的兴趣。他发现，他和自己的助手在观察同样的天文现象时，报告的时间也不一样，自己报告的时间总比助手晚 1 秒。他认为，这是由人和人的反应时不同造成的。

奥运会百米赛起跑线上，发令枪响后，运动员迅速启动。每个运动员从枪响到起跑的启动时间存在差异，而这个差异，就是个体反应时的差异。

反应时指的是从给个体外部刺激到个体做出反应的时间，比如，从裁判发令枪响到运动员起跑的时间。马斯基林和他的助手报告的时间不同，是因为他们两人的反应时不同，而不是因为助手不认真。

贝塞尔测量个体反应时间的研究给很多科学家带来了启发。虽然我们不能直接测量人内心的感觉，但可以把心理和可测量的物理量，比如反应时联系起来，这样就能定量地研究心理了。从此，心理学研究进入了"心理物理学"的全新领域，科学家爱上了"测量"。

1860 年，德国科学家费希纳正式提出了"心理物理学"概念。费希纳让一个人躺着，用物体轻轻触碰这个人的皮肤，让这个人随时说出自己的感受。费希纳发现，

"一片叶子轻轻落下，迈德刚好能够感觉得到。"

只要触碰得足够轻，也就是说给的外部刺激足够弱，人就意识不到这个刺激。而随着刺激强度逐渐增加，到了一定的强度，人就能感受到刺激了。他把刚好能引起感觉的最小刺激强度称为"绝对阈限"。

人的感觉能力有多强

人类的感觉能力有极限吗？超能力存在吗？极限又是多少呢？很多科学家都做过这方面的研究，并且测量出了人类几种主要感觉的绝对阈限。

视觉的绝对阈限：

晴朗黑夜中看到48公里外一根燃烧的蜡烛。

听觉的绝对阈限：

安静条件下听到6米外手表的嘀嗒声。

味觉的绝对阈限：

一茶匙糖溶于7.6升水中。

嗅觉的绝对阈限：

一滴香水扩散到三居室的整个空间里。

触觉的绝对阈限：

一只蜜蜂的翅膀从1厘米高处落到你的面颊上。

在费希纳之前，德国医生韦伯在 1834 年也使用过同样的方法来测量个体的感受差异。比如给你两个铁球，一个重 1 千克，一个重 1.02 千克。如果你不能正确分辨哪个更重，则说明这个 0.02 千克的差异你是感受不到的。韦伯通过研究发现，两个物体之间至少要存在 3% 的差异，人才能感受到两者的区别。韦伯把刚好能引起感觉差异的最小刺激变化量称为"差别阈限"。

费希纳进一步量化了韦伯的研究。费希纳发现，一个灯泡的功率从 100 瓦增加到 200 瓦时，我们可能觉得灯泡变亮了很多；而当灯泡功率从 200 瓦增加到 300 瓦时，我们会觉得灯泡并没有变亮那么多。也就是说，如果给你一块钱，产生的快乐值是 1，那么要想让

你的快乐值增加到 2，给你两块钱是行不通的，而要给你 4 块钱。同样，如果想让快乐值增加到 3，则要给你 9 块钱，以此类推。外部刺激强度的差异和参与者心理感觉强度的差异不是等比的，而是存在"对数"关系。

1849 年，德国医生赫尔姆霍茨试图测量神经反应速度。他敲击一名参与者的腿和脚趾，让他在感受到敲击后迅速按键；他测量了腿到脚趾的距离，然后又比较了敲击这两个位置的反应时间，计算出神经传导速度为 27 米 / 秒。这个数值是不准确的，但这种测量方法具有创新性。

15 年后，荷兰生理学家唐德斯也在他的研究中利用了反应时的差别。第一次实验时，他给参与者看一幅图，要求他们看到图就迅速按键；第二次实验时，他给参与者两幅图，让他们只能对其中一幅做出反应并按键，而忽视另外一幅。他发现，在参与者看两幅图时，他的反应时间会变长，而增加的时间就是"辨图"的时间。

在 19 世纪后期，科学家热情高涨，他们坚信人类的所有心理活动都是可以测量的，雄心勃勃地想探究人类所有的心理活动。如果有的心理活动目前还无法测量，那只是因为他们还没有想出恰当的方法。

万事俱备，只欠东风。现代心理学的诞生只差临门一脚。踢这一脚的人会是谁呢？这个答案我们在另一本书里揭晓吧！

悄悄话的声音有多大？

迈德：玩游戏时，我经常和小伙伴说"悄悄话"。依据这一节学到的知识，用多大的声音说的话才算是"悄悄话"呢？

赛克：如果从听觉绝对阈限的角度来看，20分贝以内的声音人很难听到，而20到40分贝的声音人隐约能听见，音量在这个范围内的声音就属于"悄悄话"。

迈德：也就是稍稍高于听觉绝对阈限的声音？

赛克：是的，这是在实验室中测量得到的结果。

迈德：可是，需要说悄悄话的时候，一般都是有其他人在场的时候。要是在安静没人的地方，我们就不需要说悄悄话了。

赛克：如果环境中有噪声，"悄悄话"的声音肯定要比实验室中测量的大。还记得我们学过的"差别阈限"吗？要想从周围环境的声音里辨别出对方的声音，"悄悄话"的音量至少要比环境中噪声的音量大"差别阈限"那么多。

迈德：我明白了。"悄悄话"是相对而言的，只要是我和小伙伴听得见，别人听不见的，都属于悄悄话。

我们可以在家里做一个感受温度的小实验。

准备 3 盆水：一盆偏热的水（注意水别太烫）、一盆凉水、一盆温水。把它们排成一排放在面前。把一只手放在凉水里，同时把另一只手放在热水里。等到凉和热的感觉基本消失了（一两分钟），同时将双手放进温水里。

此时，你两只手的感觉有什么不同吗？

附录

29 艾宾浩斯（赫尔曼·艾宾浩斯）
Hermann Ebbinghaus
1850—1909
提出"遗忘曲线"

81 布洛卡（皮埃尔·布洛卡）
Pierre Broca
1824—1880
发现"布洛卡区"

30 麦克唐盖尔（邓肯·麦克唐盖尔）
Duncan MacDougall
1866—1920
测量灵魂

77 弗卢龙（皮埃尔·弗卢龙）
Pierre Flourens
1794—1867
认为大脑作为整体发挥作用

33 恩培多克勒
Empedocles
约前495—前435
用自然科学解释心理

68 加尔（弗朗茨·加尔）
Franz Gall
1758—1828
提出"颅相学"

35 希波克拉底
Hippocrates
约前460—前377
提出"四体液论"

58 笛卡尔（勒内·笛卡尔）
Rene Descartes
1596—1650
提出"二元论"

37 毕达哥拉斯
Pythagoras
约前580—前500
用数学解释心理

42 亚里士多德
Aristotle
前384—前322
希腊哲学集大成者

37 苏格拉底
Socrates
约前469—前399
"思想的接生婆"

42 柏拉图
Plato
前427—前347
提出"洞穴之喻"

82 威尔尼克（卡尔·威尔尼克）
Carl Wernicke
1848—1905
发现"威尔尼克区"

110 唐德斯（弗朗西斯库斯·唐德斯）
Franciscus Donders
1818—1889
测量心理活动的时间

83 费里尔（大卫·费里尔）
David Ferrier
1843—1928
用电刺激大脑

109 赫尔姆霍茨（赫尔曼·冯·赫尔姆霍茨）
Hermann von Helmholtz
1821—1894
测量神经反应速度

88 斯佩里（罗杰·斯佩里）
Roger Sperry
1913—1994
研究左右脑差别

108 韦伯（恩斯特·韦伯）
Ernst Weber
1795—1878
提出"差别阈限"

92 高尔顿（弗朗西斯·高尔顿）
Francis Galton
1822—1911
研究心理特征遗传，重视心理测验

104 贝塞尔（弗里德里希·贝塞尔）
Friedrich Bessel
1784—1846
发现人的反应时差异

100 凯伦·温
Karen Wynn
1962—
研究儿童的公平意识

104 马斯基林（内维尔·马斯基林）
Nevil Maskelyne
1732—1811
天文学家

101 罗伯特·普洛明
Robert Plomin
1948—
研究智力的遗传性

103 费希纳（古斯塔夫·费希纳）
Gustav Fechner
1801—1887
提出"心理物理学"

115

注：人名前数字为此人在书中第一次出现的页码。

图书在版编目（CIP）数据

像心理学家一样思考:心理学真的是研究"心"的吗 / 董光恒著 ；人形鲤鱼绘 . —北京：北京科学技术出版社，2023.10

ISBN 978-7-5714-3153-2

Ⅰ. ①像… Ⅱ. ①董… ②人… Ⅲ. ①心理学－儿童读物 Ⅳ. ① B84-49

中国国家版本馆 CIP 数据核字（2023）第 134522 号

策划编辑：郑宇芳　李安迪
责任编辑：郑宇芳
封面设计：雷　雷
图文制作：晓　璐
营销编辑：赵倩倩
责任印制：吕　越
出 版 人：曾庆宇
出版发行：北京科学技术出版社
社　　址：北京西直门南大街 16 号
邮政编码：100035
电　　话：0086-10-66135495（总编室）
　　　　　0086-10-66113227（发行部）
网　　址：www.bkydw.cn
印　　刷：天津联城印刷有限公司
开　　本：710 mm × 1000 mm　1/16
字　　数：80 千字
印　　张：7.5
版　　次：2023 年 10 月第 1 版
印　　次：2023 年 10 月第 1 次印刷
ISBN 978-7-5714-3153-2

定　　价：48.00 元